La Dent
De l'ours

Catherine De Lasa

est née à Caen en 1956. Après des études de littérature, elle assouvit sa passion en écrivant des poèmes, des contes et des histoires pour enfants. Dans son travail comme dans sa vie, elle aime varier les genres. Actuellement elle élève ses six enfants, écrit toujours, et pratique aussi le patchwork, la tapisserie et la culture des plantes médicinales. Ses ouvrages sont publiés aux éditions Gallimard, Nathan, Fleurus et Bayard Jeunesse.

Christel Espié

est née en 1975 à Aix-en-Provence. Après des études de mathématiques puis de littérature, Christel Espié est entrée à l'école Émile-Cohl, à Lyon, pour y apprendre le métier d'illustrateur. Grande amatrice de littérature d'aventure, elle aime par-dessus tout illustrer des romans épiques.

© 2008, Bayard Éditions Jeunesse
© 2006, magazine D Lire
Tous les droits réservés. Reproduction, même partielle, interdite.
Dépôt légal : janvier 2008
ISBN : 978-2-7470-2555-3
Loi du 16 juillet 1949 sur les publications destinées à la jeunesse.

La Dent
De l'ours

Une histoire écrite par Catherine de Lasa
illustrée par Christel Espié

BAYARD POCHE

1
Le secret de Grand-mère

La pension de Québec, c'est fini ! Charlotte n'arrive pas à s'en remettre. Adieu le lever à cinq heures du matin, les séances de couture obligatoires et la mauvaise nourriture ! Ce matin, le 4 septembre 1743, les parents de Charlotte sont venus la chercher et l'ont emmenée chez sa grand-mère Madeleine, au domaine d'Aumance, au nord de Québec, sur le bord du fleuve Saint-Laurent. Et puis ils lui ont dit au revoir. Ils devaient s'embarquer pour la France afin d'arranger des affaires d'héritage.

En attendant leur retour, Charlotte est libre comme l'air. Bien sûr, elle regrette ses chères amies : Hortense, Henriette et Marie. Tant pis ! On s'écrira ! Pour le moment, elle a envie de danser, de courir, d'apprendre à monter à cheval, de faire tout à la fois... Après la vie austère de la pension, la campagne a un goût fabuleux de liberté.

Voilà plusieurs années que Charlotte n'a pas vu sa grand-mère, mais elle se sent tout de suite proche d'elle. Parfois, c'est une dame du monde, toute droite dans sa robe noire. Les servantes se lèvent quand elle entre dans une pièce. Avec sa démarche assurée, elle donne des ordres d'une voix nette et coupante. Et ensuite, d'un seul coup,

Le secret De GranD-mère

cette grand-mère-là disparaît, et Charlotte se retrouve en face d'une amie espiègle, qui s'habille en homme pour être plus agile et qui se glisse dans la forêt sans faire aucun bruit.

Dès aujourd'hui, elle a décidé d'emmener Charlotte... à la chasse ! Elle prend un fusil, en tend un à Charlotte et les voilà dans les bois.

La Dent De l'ours

Charlotte s'essouffle derrière sa grand-mère, elle n'arrive pas à courir aussi vite. Soudain deux bécasses jaillissent d'un fourré. Pan ! D'un seul coup de fusil, d'un seul, sa grand-mère les tue toutes les deux...

Charlotte n'en revient pas :

– Où avez-vous appris à tirer comme ça ?

Madeleine d'Aumance ne répond pas.

– On va les faire rôtir sur un feu, propose-t-elle. Ça va être délicieux, tu vas voir !

Elle se met à préparer un feu : une petite pyramide de brindilles au milieu d'un rond de pierres. Ensuite, elle l'allume très vite... Sans briquet, sans allumettes, sans rien d'autre que deux branches de bois qu'elle frotte l'une sur l'autre. Charlotte a vu une fois un feu qui s'allumait comme ça. C'était à la pension, en plein hiver. On pensait mourir de froid, mais il n'y avait rien à faire, la provision d'allumettes était épuisée. Une servante iroquoise

Le secret de grand-mère

s'est approchée de la cheminée, elle a frotté quelques bouts de bois, et des flammes sont apparues... Ça ressemblait à un miracle.

– Grand-mère, vous faites comme les Iroquois !

– Heureusement ! Sinon, tu mangerais de la viande crue !

Grand-mère plume les bécasses, les vide, les rôtit. Ensuite, elle s'assoit en tailleur, à la manière indienne. Charlotte l'imite, même si cette position lui fait mal aux genoux et l'oblige sans cesse à décroiser et recroiser ses jambes.

Sa grand-mère l'encourage :

– Il faut rester immobile. Peu à peu, les muscles se détendent, on se calme... et ensuite on ne peut plus s'asseoir autrement.

Elles mangent les bécasses, dont la peau est croustillante.

– C'est bon ! dit Charlotte en se léchant les doigts.

Sa grand-mère sourit finement.

– C'est ce que mangent les Iroquois, répond-elle. Ils savent ce qui est bon !

Charlotte ne comprend pas sa grand-mère. D'accord, on peut s'amuser un peu dans les bois, jouer à imiter les sauvages, mais de là à les admirer...

De retour au manoir, tout redevient comme avant : Madeleine est à nouveau la châtelaine qui commande aux servantes un repas d'apparat. Ce soir, il y a des invités : le commandant de Rochebrune et sa femme. À table, il est placé à la droite de sa grand-mère, et un serviteur, debout derrière lui, lui sert du vin chaque fois que son verre est vide, selon les règles du protocole à la française. Le commandant raconte ses campagnes, des récits

Le secret de grand-mère

de guerre dans toute la Nouvelle-France. Fatiguée par la journée de chasse, Charlotte n'écoute pas trop la conversation. Tout à coup, elle s'aperçoit que le ton monte.

Elle dresse l'oreille. Madeleine d'Aumance dit d'un ton sec :

La Dent De l'ours

– Vous n'avez pas le droit de parler comme ça ! Les Indiens sont ici chez eux, sur leurs terres ! Ils étaient là bien avant nous ! Ils ont le droit de vivre à leur façon !

Le commandant semble un instant interloqué. Puis il se reprend :

– Chère amie, nous respectons les Indiens, quand ils veulent bien collaborer avec nous. Ainsi, les Hurons sont nos amis. Mais les Iroquois, ces bandits qui veulent détruire nos

villes, nos fermes, nos familles, nous les com-
battrons jusqu'au dernier ! D'ailleurs, heureusement que la troupe est venue à votre secours
quand ils attaquaient le domaine de vos parents.
Vous vous rappelez le jour où...

Cette fois, Madeleine d'Aumance se lève brus-
quement, les yeux étincelants :

– Excusez-moi !

Et elle sort de table.

C'est un affront. Le commandant de Rochebrune en tremble de rage.

Il se lève, entraînant sa femme :

– Venez. Nous irons ailleurs chercher l'hospi-
talité pour la nuit.

Ils rappellent leurs serviteurs et ils partent en
canot sur le fleuve.

Charlotte n'y comprend rien. Qu'est-ce que ça
veut dire ? Pourquoi cette fureur ? Les Indiens ne
valent pas la peine qu'on se mette dans un tel état !

La Dent De l'ours

Elle cherche sa grand-mère pour lui dire bon-soir, mais elle n'est nulle part dans la maison. Charlotte entend du bruit dehors... La nuit est presque lumineuse, éclairée par la pleine lune. Charlotte aperçoit sa grand-mère, qui a remis sa tenue de chasse, le pantalon de peau, les bottes, et part, seule dans la nuit.

Mille questions assaillent la jeune fille : quelle est cette attaque dont a parlé le commandant ? Pourquoi cette simple allusion rend-elle sa grand-mère folle de rage ? Et où s'en va-t-elle, à cette heure de la nuit ?

Troublée, Charlotte va s'installer au coin du feu, dans la cuisine, avec son rouet. Elle s'assied à côté de Marthe, une très vieille servante qui ne peut plus guère bouger à cause de son grand âge.

Marthe hoche la tête :

– Depuis que je la connais, les nuits de pleine lune, votre grand-mère, elle est comme ça !

Le secret de Grand-mère

– Ah, vraiment ? Et tu la connais depuis long-
temps ? demande Charlotte.

Sourde, Marthe n'entend pas les questions.
Elle suit son idée :

– C'est comme son frère aîné. Oh, mon Dieu,
ce garçon-là !

De saisissement, Charlotte lâche son fuseau :

– Grand-mère avait un frère aîné ? Mais... personne ne m'en a jamais parlé !

– La pleine lune, je vous dis..., marmonne
Marthe.

Puis elle pique du nez et commence à ronfler.

Charlotte se remet à filer la laine, malheu-
reuse. Ici, on lui cache quelque chose, on la trouve
sans doute trop petite, indigne de comprendre les
secrets des grands. Elle regrette ses amies de la pension. Avec elles, au moins, elle partageait tout.

2
Le Choix De Michel

Le lendemain matin, grand-mère est de nouveau là, joyeuse, virevoltant de la cuisine au jardin, comme si elle avait abandonné sa colère au fond de la forêt.

– Montre-moi ce que tu as filé pendant que je n'étais pas là ! demande-t-elle à Charlotte. Dis donc, tu ne te débrouilles pas mal, on t'a bien éduquée à la pension !

Charlotte garde la tête baissée, elle ne répond pas. Elle en veut un peu à sa grand-mère de l'avoir abandonnée sans prévenir. N'y tenant plus, elle la questionne bravement :

– Pourquoi étiez-vous fâchée contre le commandant ?

– C'est un abruti ! Il se croit un conquérant pour quelques coups de fusil que l'armée a donnés contre de pauvres familles indiennes sans défense. Je n'aurais jamais dû accepter de le recevoir !

– Mais, proteste Charlotte, c'est vrai que c'est un conquérant ! À la pension, on nous demandait de prier pour que les Français remportent la victoire contre les Indiens. Après tout, ce ne sont que des sauvages !

Madeleine d'Aumance ne dit rien. Elle observe longuement Charlotte et ses yeux se voilent de tristesse.

– Viens, lui dit-elle, je t'emmène faire un tour sur les îles.

La Dent De l'ours

Un serviteur prépare la petite barque et toutes les deux s'éloignent du rivage dans la brume matinale.

Près des îles, il y a des remous, mais Charlotte ne craint rien : Madeleine d'Aumance est aussi sûre d'elle sur un canot que sur un cheval. La nature est son élément. Aucune des deux ne parle. Elles contemplent ensemble la forêt qui, en cette fin d'été, décline tous les tons de rouge, brun, orange et rose. Un peu de brouillard flotte sur l'eau, rendant le paysage plus irréel encore...

Soudain, une pirogue surgit d'un méandre du fleuve.

Une peur irrépressible envahit Charlotte : les Iroquois !

« Nous sommes perdues ! pense-t-elle. Que peuvent faire deux femmes contre ces guerriers féroces ? »

Mais dans la pirogue, il n'y a qu'une Indienne. Et quelque chose d'incroyable se passe : en l'apercevant, Madeleine d'Aumance pousse un cri de joie. Elle se met à parler dans une langue inconnue. Un dialogue s'engage d'une embarcation à l'autre. Qui est cette Indienne ? D'où vient-elle ?

Le Choix De Michel

Les deux femmes ne s'occupent plus de la jeune fille, elles sont dans leur monde à elles, un monde aux sonorités nouvelles, avec des mimiques et des gestes que Charlotte n'a jamais vus ailleurs.

Le dialogue s'étire, infini comme le fleuve. Quand les deux embarcations abordent Aumance, Charlotte a l'impression de se réveiller en sursaut. Sa grand-mère saute lestement sur le ponton. Elle aide sa petite-fille à en faire autant, puis elle invite l'Indienne à l'accompagner jusqu'au manoir.

Charlotte, médusée, s'accroche au bras de sa grand-mère. Elle lui chuchote :

– Vous la faites venir avec nous... au manoir ? Vous n'avez pas peur que...

Sa grand-mère a une réponse invraisemblable :

– Enfin... Ta tante est toujours la bienvenue dans ma maison !

Charlotte est suffoquée.

– Ma tante ?

La Dent De l'ours

Qu'est-ce que ça signifie ? C'était donc ça, cette lueur de tristesse dans les yeux de sa grand-mère ? Quelle surprise lui réserve-t-elle ?

Dans la grande salle du manoir, Madeleine d'Aumance et l'Indienne s'assoient devant la cheminée, en tailleur.

Une nouvelle fois, Charlotte les imite. Elle ne veut plus qu'on la laisse de côté. Mais sa grand-mère n'en a pas l'intention :

– Charlotte, lui dit-elle, il est

temps que je te présente ma nièce iroquoise, Hélène, la fille de mon frère aîné, Michel.

Le frère aîné ! C'est bien ce que racontait la vieille Marthe, hier au soir. Ainsi, le frère aîné de sa grand-mère s'appelait Michel. Pourquoi le lui a-t-on caché ?

En réponse à l'interrogation muette de sa petite-fille, Madeleine d'Aumance se met à parler, comme si elle évoquait pour elle-même des souvenirs enfouis...

– Michel, c'était mon frère préféré. Depuis mes dix ans, il m'emmenait toujours à la chasse, à la pêche... C'est lui qui m'a appris à diriger un canot. On débarquait sur les îles tous les deux, on faisait cuire des poissons à la broche. Il m'avait même appris à me servir d'un fusil ! Et regarde ce qu'il m'avait donné...

Sa grand-mère détache de son cou un petit pendentif d'écorce. Elle en sort un curieux petit objet couleur crème, comme de l'ivoire. Charlotte s'approche.

– C'est une dent d'ours, lui explique sa grand-mère. Approche-toi du feu, tu verras une inscription...

Charlotte obéit et, en plissant les yeux, elle réussit à lire : « À ma sœur chérie ».

Sa grand-mère reprend son trésor des mains de Charlotte, puis elle se tait. Que revoit-elle, derrière ses yeux à demi fermés ?

– Un drôle de garçon, mon frère ! Quelquefois, il disparaissait pendant un mois, on ne savait pas où il allait. Quand il revenait, il était complètement changé, il avait des tatouages sur le corps...

Le Choix De Michel

On aurait presque dit qu'il s'était transformé en Iroquois. Quand il le voyait ainsi, notre père entrait dans des colères terribles. Il lui arrivait même de le battre : « Tu déshonores notre nom ! Tu devrais défendre les Français, qui ont toutes les peines du monde à survivre dans ce pays hostile ! Ils vont peut-être disparaître à cause de godelureaux comme toi ! Cette terre, c'est notre bien à nous, les Français. Nous devons la défendre tous ensemble. Les Iroquois sont devenus nos ennemis, tu n'as rien à faire avec eux, tu m'entends ? »

Mais Michel, avec sa bonne humeur, désarmait tout le monde.

Quelques jours plus tard, il avait repris l'habit français, et il tenait à la perfection son rôle de fils aîné. Mais maman n'était pas dupe. Je la surprenais à soupirer en le regardant. « Hélas ! devait-elle penser, demain, je sais que tu ressembleras de nouveau à un sauvage. »

Et elle avait raison.

À nouveau, Michel disparaissait dans la forêt, même en plein hiver. Tout le monde se demandait comment il pouvait survivre dehors, par des froids aussi épouvantables. Quand je lui posais la question, il haussait les épaules : « Suffit de savoir faire du feu ! Comment les Iroquois se débrouillent, eux ? Ils s'enduisent le corps avec de la graisse d'ours. Et puis, on se serre les uns contre les autres sous des fourrures, on hiberne, quoi... »

J'avais sursauté : « Vraiment ? Toi, tu t'enduis le corps avec de la graisse d'ours ? »

« Pourquoi pas ? avait répondu Michel. Ça protège aussi bien les Français que les Indiens... »

Moi, j'ouvrais de grands yeux : « Tu te prends vraiment pour un Iroquois, alors ? »

« Un peu, avait murmuré Michel. Enfin... pas tout à fait... »

Le Choix De Michel

Un jour, il m'avait demandé, comme ça, à brûle-pourpoint : « Et si j'épousais une Iroquoise, qu'est-ce que tu dirais, toi ? »

J'ai cru qu'il devenait complètement fou. J'ai hurlé : « Non, mais ça va pas ? Une sauvage deviendrait madame d'Aumance ? »

Michel n'avait rien répondu. Il avait regardé très loin vers le fleuve, en serrant les poings. Ensuite, il avait disparu. Pour de bon, cette fois.

La Dent De l'ours

Charlotte écoute. Une porte en elle vient de s'ouvrir, un monde se découvre : voilà donc d'où vient cette grand-mère chasseresse, qui se glisse, invisible, dans la forêt ou sur la rivière. De ce frère mort il y a longtemps et dont on ne parle jamais...

Alors, une autre voix retentit. Celle d'Hélène :

– L'Indienne, la sauvage, c'était ma mère, Première-Neige. Mon père, Michel, en était fou amoureux. Ça faisait rire les femmes, qui en parlaient entre elles. Mon père s'était complètement intégré à la tribu. Nous avions tous oublié qu'il était différent de nous, avec sa peau blanche, ses cheveux blonds. C'était mon père, un chasseur éblouissant qui ne manquait jamais son but, un guerrier rusé qui savait toujours avant les autres où l'ennemi nous attendait. Chez nous, on l'appelait Ours-qui-Dort, parce qu'il désirait parfois la solitude plus que tout. Il partait tout seul et il rêvait à on ne sait quoi, en regardant le fleuve...

Il y a un grand silence, que Charlotte n'ose pas interrompre. Elle sent que quelque chose s'est passé à ce moment, une fracture tellement terrible que les mots paraissent insuffisants pour la raconter. Mais la voix d'Hélène s'élève à nouveau, elle parle avec difficulté.

– Mon père a été tué... par mon grand-père. C'est ma mère qui me l'a dit.

Encore un silence, infranchissable comme une montagne. Est-ce qu'Hélène va réussir à le dépasser ?

La Dent De l'ours

– Notre tribu préparait une expédition, poursuit Hélène. Nous voulions attaquer le fort afin d'y voler les récoltes. Nos réserves étaient épuisées et l'hiver promettait d'être dur. Mon père a refusé de participer à l'expédition. Dès lors, les hommes de la tribu ont pensé qu'il les trahirait. Le père de ma mère l'a tué au début de l'automne. Ma mère, Première-Neige, a failli devenir folle de douleur.

3
La vengeance de Madeleine

C'est Madeleine d'Aumance qui poursuit le récit, d'une voix sans timbre :

– On a retrouvé le corps de Michel au bord du fleuve. Pourquoi ne s'est-il pas mieux défendu ? Comment n'a-t-il pas senti que...

Madeleine secoue la tête, impuissante, comme si elle retrouvait toutes ses angoisses d'autrefois :

– À compter de ce jour, nul n'a plus jamais parlé de Michel dans le fort. Une fois, j'avais posé des questions sur lui, sur ce qu'il était devenu. Mon père avait hurlé : « Je ne veux plus jamais entendre prononcer son nom, tu m'entends ! Plus jamais ! Ce n'est plus mon fils ! » Ma mère s'était mise à sangloter, et elle était allée s'enfermer dans sa chambre. Alors, je n'avais pas cherché à en savoir plus. J'avais seulement compris que Michel avait sans doute aimé une Indienne, et les Iroquois l'avaient tué.

Madeleine murmure d'une voix si basse que sa petite-fille l'entend à peine :

– Tu sais, Charlotte, quand je pensais au cadavre de mon frère, je me disais que j'étais capable de tuer les Iroquois qui avaient fait ça, même si je n'avais que quinze ans... Et c'est ce qui a fini par arriver. Ça s'est passé en octobre. Mes parents étaient partis pour quelques jours à Québec. Ils devaient négocier une grosse vente de fourrures, je crois. Maman avait emmené mes deux petites

La vengeance de Madeleine

sœurs, Anne et Thérèse, avec elle. Tout était calme depuis plusieurs semaines. Le vieux soldat Laviolette devait garder le fort et veiller sur moi et mes deux jeunes frères, Pierre et Alexandre, qui avaient douze et treize ans. Ce jour-là, je m'étais levée tôt pour aller me promener en forêt : c'était sans doute imprudent, mais je voulais profiter des dernières belles journées de la saison. Soudain, des Iroquois ont surgi des buissons. Ils m'ont poursuivie, de peur que je donne l'alerte. J'ai couru

à perdre haleine. J'ai atteint l'entrée du fort. Vite, j'ai fermé la lourde porte. J'étais sauvée !

Mon cœur battait à se rompre. Dans ma tête, tout se bousculait : le fort était attaqué par les Iroquois et mes parents étaient partis. Qu'allait-il se passer maintenant ? Il y en avait déjà eu, des attaques. Un jour, ma mère avait résisté toute seule à une horde d'Iroquois. Pourquoi pas moi ? Puis j'ai pensé à Michel. Je me suis dit que le moment était venu : j'allais être digne de lui... et le venger. Mais avant tout, il fallait prévenir les forts voisins de notre situation. Je suis montée à la tour, j'ai chargé le canon, et le coup est parti.

Surpris, les Iroquois se sont temporairement éloignés. C'était déjà une première victoire. À ce moment, Pierre et Alexandre sont arrivés en courant : « Madeleine, qu'est-ce qu'il faut faire ? » J'ai réussi à répondre sur un ton presque gai : « On se débrouille ! »

La Dent De l'ours

J'ai essayé de dissimuler mes longs cheveux sous un chapeau de soldat, puis j'ai enfilé une veste de mon père. J'ai donné un fusil à mes frères et j'ai annoncé : « On rentre et on sort plusieurs fois de la tour. Nous allons leur faire croire que le fort est rempli de soldats. » Le vieux Laviolette s'y est mis aussi. Il poussait des rugissements terribles : « À mon commandement, feu ! » Même Marthe, notre servante, a couru sur le chemin de ronde avec un fusil. Pierre et Alexandre l'ont imitée, dans la direction opposée. Bientôt, Pierre est revenu : « À l'ouest, cinq Iroquois escaladent le mur d'enceinte. »

Sans hésiter, j'ai tiré. Un homme est tombé et je me suis réjouie. C'était une joie mauvaise qui venait du fond de mon être. C'est cela, la vengeance. Ça n'apaise pas la douleur, au contraire... On a envie d'avoir toujours plus mal... comme si on était attiré vers un gouffre...

La vengeance de Madeleine

Charlotte actionne le soufflet pour faire repartir le feu. Elle sait que sa grand-mère prononce ces paroles-là sans doute pour la première fois. Il faut les laisser venir une à une... même si elles sont affreuses à entendre. Et le récit continue :

– Un tonnerre de coups de fusils m'a répondu. Dans les tours d'angle, Alexandre et Pierre s'en donnaient à cœur joie. Et puis, soudainement, le feu a pris à la tour est. Avec les servantes, j'ai immédiatement organisé une chaîne de seaux depuis le puits.

Tu sais, c'était dérisoire, ces quelques litres d'eau qu'on versait sur un début d'incendie... mais on a réussi. La nuit est tombée, il fallait allumer des torches, aller remonter le moral des uns et des autres... L'affaire était mal engagée. Mais vers minuit, une détonation a retenti, puis une autre.

Le vieux Laviolette somnolait à côté de moi. Il a redressé la tête : « Ça vient du nord et du sud.

La Dent De l'ours

On nous a entendus des forts de Contrecœur et de Varennes. »

Puis il a ajouté : « Nous avons sans doute le reste de la nuit à tenir. Les renforts arriveront par le fleuve dès demain. »

Encore toute la nuit ! J'ai pensé que nous n'y arriverions jamais. Marthe est venue nous réconforter en nous apportant de la soupe brûlante. Je me

La vengeance de Madeleine

rappelle qu'on a joué aux cartes, on a chanté des chansons militaires, des chansons d'amour. De temps en temps, on secouait des sabots pour faire le plus de bruit possible. Laviolette nous racontait ses campagnes. Des récits de massacres à faire frémir dans tous les coins de la Nouvelle-France. On le laissait dire. Au moins, ça nous empêchait de nous endormir...

La Dent De l'ours

Charlotte imagine sa grand-mère défendant le fort avec tout le courage de ses quinze ans, son âge à elle… En aurait-elle été capable ?

– Enfin, le jour s'est levé. Cinq canots ont accosté. J'ai dressé l'oreille : on parlait français ! J'ai couru ouvrir la porte du fort. Un officier s'est présenté : « Lieutenant des Treillères ! Veuillez me conduire à votre commandant ! »

Je me suis redressée de toute ma hauteur : « Le commandant, c'est moi ! »

« Et votre garnison ? » a demandé l'officier, stupéfait. « C'est nous ! » ont répondu Pierre, Alexandre, le vieux Laviolette, Marthe et les autres servantes.

Des Treillères a sursauté : « Un fort défendu par des femmes, des enfants et un vieillard, contre l'attaque d'une tribu entière d'Iroquois ! Ça alors ! On en parlera jusqu'à la cour du roi de France, à coup sûr ! »

La vengeance de Madeleine

Puis il s'est ressaisi : « Mes hommes et moi, nous prenons la relève. Nous allons attaquer les Indiens par le nord et par le sud, je vous jure que ça ne va pas traîner ! »

J'ai rejoint ma chambre comme une somnambule. J'entendais au loin des bruits de bataille. Désormais, ça ne me regardait plus. J'avais le droit de dormir, sans penser à rien. Il y en avait d'autres qui faisaient face au danger.

Je n'ai même pas réagi quand le lieutenant est venu m'annoncer : « Nous avons gagné ! Nous avons brûlé les villages à l'entour, et aussi les provisions, les armes, les outils, tout ! S'il y a des survivants, ils n'auront rien à manger, rien pour se défendre, rien pour s'abriter. Que ça leur passe l'envie de nous attaquer ! »

4
Le secret De Fleur–De–Prairie

– Il a parfaitement réussi, murmure Hélène. Nos maisons avaient été brûlées, presque tous les guerriers tués, ainsi que ma mère et plusieurs femmes. Je sens encore l'odeur des cendres comme si c'était hier... Je me suis retrouvée sans maman, sans rien à manger, rien pour me protéger du froid...

Le secret de Fleur-de-Prairie

Un très long silence suit. Charlotte ne veut pas le briser. Madeleine d'Aumance et Hélène contemplent le feu, revivant leur passé, quarante ans en arrière.

– J'avais quatre ans, reprend Hélène, je me rappelle que j'étais debout, toute seule au milieu des flammes et des hurlements. Une vision d'horreur, un cauchemar qui me hante encore toutes les nuits. Après, j'ai couru, droit devant moi, le plus loin possible. J'ai erré dans les bois, plusieurs jours et plusieurs nuits...

– Quand je l'ai trouvée, continue

La Dent De l'ours

Madeleine, c'était un petit animal perdu. Malgré le froid, elle était presque nue. Elle bafouillait des mots incompréhensibles, avec une panique intense dans le regard. En voyant un être humain, elle a tendu les bras désespérément... Je l'ai soulevée de terre, serrée contre moi et ramenée au fort. Je ne savais pas pourquoi je faisais ça. C'était inexplicable. Je l'ai aimée du premier coup. Je ne pouvais plus la lâcher. À la maison, je lui ai trouvé des vêtements chauds. Je lui ai donné à manger de la bouillie de maïs, tout doucement, avec une petite cuillère. Hélène sourit pour la première fois :

Le secret de Fleur-de-Prairie

– Une chemise en tissu, une cuillère... Tout ça, c'était nouveau pour moi !

– Pour moi, s'exclame Madeleine, c'était la seule façon possible de soigner un enfant. Le pire a été la réaction des servantes. Marthe s'est plantée devant moi, les mains sur les hanches : « Mademoiselle, vous n'allez quand même pas garder ça ! » J'ai répondu avec un grand calme : « Si ! » Marthe a poussé un cri d'horreur : « Ces chiens-là ! Ils ont voulu nous tuer ! Ils ont tué votre frère ! Ils ne vont pas nous demander, en plus, de torcher leurs marmots ! » J'ai répété : « Je la garde ! » Marthe s'est mise à hurler : « Une vipère dans nos murs ! Je vous préviens, Mademoiselle, quand elle grandira, elle vous mordra, elle mordra vos parents et toute votre famille ! Regardez ce qu'elle a autour du cou : c'est un talisman magique qui nous portera malheur à tous ! » J'ai répliqué, sûre de moi : « Elle porte au cou ce qu'elle veut, et on ne lui enlèvera pas, parce que c'est la seule chose qu'elle a. »

Marthe est partie, furieuse, en claquant la porte derrière elle : « Et vous n'avez pas peur qu'on se venge sur elle de tout ce qu'on a souffert ? »

Moi, je n'écoutais plus, je te serrais contre moi, en te susurrant des mots d'amour : « Mon petit caribou, mon doux trésor... »

Charlotte a une question qui lui brûle les lèvres :

– Grand-mère, si vous ne l'aviez pas défendue, cette petite fille, que lui serait-il arrivé ?

– Au mieux, on l'aurait ramenée dans la forêt. Au pire...

Sa grand-mère a un geste vague de la main. Ce pire, Charlotte l'imagine. Bouleversée, elle s'efforce de chasser de son esprit des images horribles.

– Le soir même, poursuit sa grand-mère, je lui avais donné un nom, Hélène, parce qu'il ressemblait un peu au mien, Madeleine. Et je l'ai couchée

dans mon lit. En m'endormant, je rêvais déjà :
« C'est mon enfant, ma petite fille… Je lui coudrai
des robes avec de la dentelle. » Tu comprends,
pour moi, elle était toute la douceur, le miel après
la violence des combats, et peu importait d'où
elle venait. Elle était un cadeau du ciel, inattendu.
Elle était là, et il n'y avait rien d'autre à faire que
l'accueillir. La guerre était finie.

– Et après ? demande Charlotte, impatiente.
Que s'est-il passé ?

– Après, il a fallu que je la défende, continue
sa grand-mère. Ce n'était pas évident. Bien sûr, mes
parents m'ont fêtée comme si j'étais Jeanne d'Arc
elle-même : « Tu as sauvé la vie à notre famille ! On
parle de toi jusqu'à la cour du roi de France ! »

Mais ils n'ont jamais posé le regard sur toi, ma
petite fille indienne. En même temps, ils ne m'ont
pas interdit de te garder. J'en ai conclu que j'avais
tous les droits, puisque j'étais une héroïne.

La Dent De l'ours

– Moi, renchérit Hélène, j'avais retrouvé une mère et je n'avais besoin de rien d'autre.

– L'ennui, c'est que tu n'étais pas acceptée pour autant. D'habitude, quand un bébé naissait à Aumance, enfant de dame ou enfant de servante, toute la communauté l'élevait en même temps : on le surveillait à tour de rôle, sans se donner le mot. Chacun jouait avec lui, le guidait dans ses premiers pas, lui évitait les chutes. Pour Hélène, je me suis très vite aperçue que cette solidarité ne fonctionnait pas. J'étais seule responsable, et il n'y avait pas de relais. Un jour, elle a failli se noyer dans le fleuve. À côté, les servantes étendaient du linge. Aucune d'elles n'a bougé pour aller la chercher. C'était pareil pour la nourriture : on ne prévoyait pas sa part quand on préparait les repas. C'était moi, la fille du maître, qui devais faire cuire sa bouillie d'avoine, lui couper du lard en petits morceaux. Pourtant, elle a grandi. Puis, elle

Le secret de Fleur-de-Prairie

a prononcé ses premiers mots en français. Mais, ajoute-t-elle en se tournant vers Hélène, tu n'as jamais appris les noms des membres de la famille.

Hélène laisse échapper un soupir :

– De toute manière, ça ne m'aurait servi à rien : personne ne m'adressait la parole ! Je n'avais même pas le droit de manger à leur table.

Madeleine lui prend la main et se tourne vers Charlotte :

– Ma famille la rejetait, mais je refusais de le voir... Ou plutôt, je ne voulais pas le voir. Pourtant, elle faisait tout ce qu'elle pouvait pour s'intégrer. Parfois, elle cuisinait pour eux. On pétrissait les galettes de maïs toutes les deux, tu te souviens, Hélène ? Un jour, à table, j'ai lancé d'un ton amer : « Vous ne voulez pas d'elle, mais ses galettes, pas de problème : vous êtes tous bien d'accord pour les manger ! » Et Pierre a répondu...

– « On la nourrit, alors il faut bien qu'elle paye ! » l'interrompt Hélène, les yeux dans le vide.

Le feu crépite, rassurant, meublant le silence qui de nouveau s'installe. Charlotte ajoute une bûche dans l'âtre, elle passe un long moment à la placer sur les braises avec les pincettes, puis d'un seul coup, elle risque une question :

– Et vous ne parliez jamais de votre vie passée, chez les Indiens ?

C'est la première fois qu'elle s'adresse à Hélène. Celle-ci pose ses yeux sur elle et secoue la tête :

– Non, je sentais que je n'en avais pas le droit, ça n'intéressait personne. Même pas toi, ma mère adoptive, dit-elle en se tournant vers la grand-mère de Charlotte.

– Tout chez toi était différent, même tes jeux, réplique la grand-mère. Tu construisais des petites maisons d'écorce, tu te fabriquais des poupées avec du maïs, et la lune aussi te fascinait... Il t'arrivait de danser en la regardant...

– Pourtant j'avais envie de te ressembler, enchaîne Hélène. C'est pour ça que j'ai voulu apprendre à lire.

– Ah oui, s'exclame Madeleine. Quel scandale dans la famille ! Je suis allée chercher du papier, de l'encre, des plumes. Mais maman m'a barré la route : « On n'a rien à lui donner, à cette fille ! Ce sont ses parents, ses frères qui ont tué mon fils. » J'ai murmuré entre mes dents : « Elle apprendra à lire quand même ! On se passera de papier et d'encre ! On écrira sur la terre avec un bâton, s'il le faut ! »

La Dent De l'ours

Hélène explique :

– Je voulais apprendre à lire pour déchiffrer mon secret.

Le secret de Fleur-de-Prairie

Elle porte la main à son cou, détache son pendentif d'écorce et l'ouvre délicatement : dedans, il y a un petit objet mystérieux. Charlotte pousse un cri d'étonnement.

– Une dent d'ours ! La même que celle de grand-mère !

– Exactement. Mais sur celle-ci est gravé « À ma fille chérie ! » précise Hélène. C'est le signe qui a servi à reconnaître notre parenté... après...

Encore un silence qu'il faut laisser durer, pour que le passé remonte, puisse venir à la surface des mots hésitants, de plus en plus assurés. Charlotte tisonne le feu...

– Un matin, Hélène a disparu, reprend Madeleine. Nous cousions toutes les deux dehors. À un moment, je me suis aperçue qu'il ne me restait plus de fil. Je suis retournée à la maison pour en chercher... Quand je suis revenue, ma petite Hélène n'était plus là.

– J'avais été reprise par ma famille. Mon oncle, Flèche-Droite, me guettait depuis long-temps, dans les bois. Au moment propice, il m'a enlevée en une seconde... et je me suis retrouvée chez moi, dans mon village, avec ma tribu.

– Cela a dû être dur, commente Charlotte.

– Dur et doux en même temps, corrige Hélène. J'étais arrachée à ma mère adoptive mais je retrouvais le milieu qui m'avait vue naître. Très vite, je me suis adaptée à nouveau, j'ai couru pieds nus avec les enfants de mon âge, j'ai tanné les peaux, j'ai fait rôtir la viande sur les feux... J'ai retrouvé mon nom indien : Fleur-de-Prairie. Mes danses et mes jeux ressemblaient enfin à ceux des autres. L'épisode chez les Français est devenu comme un rêve qui s'efface peu à peu...

Charlotte s'enhardit. Elle veut tout savoir :

– Ç'a dû être terrible pour vous, grand-mère...

Le secret de Fleur-de-Prairie

– Un vide, un trou noir, un effondrement complet. Je suis revenue avec ma bobine de fil... et elle n'était plus là, ma petite fille iroquoise. Par terre, j'ai trouvé un souvenir d'elle. Elle avait juste eu le temps de l'arracher de son cou pour me le laisser...

– La dent d'ours ! crie Charlotte.

– Oui, la dent d'ours... répète sa grand-mère. Elle était à l'intérieur du petit sac d'écorce. J'ai lu l'inscription : « À ma fille chérie - Michel », j'ai cru que j'allais m'évanouir ! Hélène était ma nièce, la fille de mon frère bien-aimé ; au moment où je découvrais notre lien, elle disparaissait ! Il y avait de quoi devenir folle ! J'étais comme assommée. Je me répétais : « C'est fini, on s'est perdues pour toujours, il aurait mieux valu ne jamais se connaître... » Pendant des semaines, je n'ai parlé à personne. Je ne mangeais presque plus. Autour de moi, ma famille se taisait. Un soir, en fermant

La Dent De l'ours

mes volets, j'ai vu la lune toute ronde, dans le ciel... C'était le premier soir de la pleine lune... Je suis sortie.

Le secret de Fleur-de-Prairie

Hélène sourit :

– ... et je t'attendais. Pour la première fois, je t'ai parlé de ma tribu, de ma mère... Et j'ai commencé à t'apprendre ma langue. Puis je suis repartie dans la forêt.

– Cette fois, je n'ai pas été triste, parce que j'étais certaine qu'on se reverrait.

– Oui, confirme Hélène. Nos deux nations continuaient leur guerre sans fin mais cette guerre n'était plus la nôtre. Depuis ce temps-là, on n'a jamais cessé de se revoir. L'une et l'autre, nous avons avancé dans la vie, nous avons eu des enfants, des bonheurs, des souffrances. Je suis restée iroquoise, tu as épousé un Français. Au fil des années, notre amitié est demeurée notre secret. Et aujourd'hui, tu m'as présenté ta petite-fille, Charlotte. Depuis le temps que tu m'en parlais !

La Dent De l'ours

Le feu s'est éteint. Charlotte observe Hélène, puis sa grand-mère Madeleine, deux femmes que les guerres ont malmenées, poussées l'une vers l'autre, à nouveau séparées, comme les vagues entrechoquent les cailloux sur la plage.

Tout doucement, elle demande :

– Grand-mère, Hélène, apprenez-moi la langue des Indiens...

Dans ce roman, une scène est inspirée d'un fait réel : l'attaque du fort. En effet, en 1692, Madeleine de Verchères, alors âgée de quatorze ans, se trouve seule dans un fort quand celui-ci est attaqué par les Iroquois. Comme sa mère deux ans auparavant, elle repousse les assaillants en leur faisant croire que le fort est rempli de soldats. Le siège dure deux jours, et les Iroquois battent finalement en retraite.